D0229519

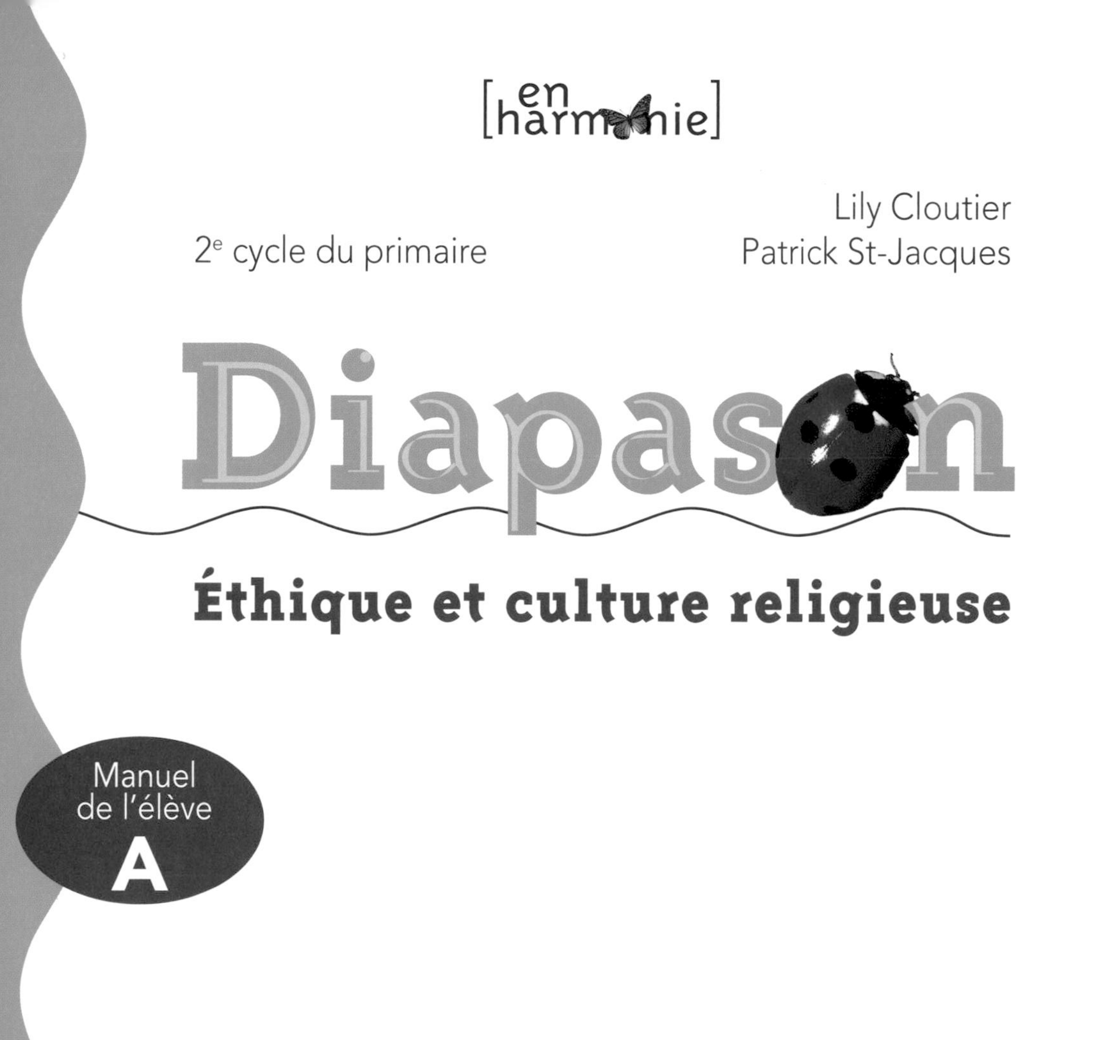

Lily Cloutier
Patrick St-Jacques

2e cycle du primaire

Diapason

Éthique et culture religieuse

Manuel de l'élève
A

MODULO

Nous reconnaissons l'aide financière du gouvernement du Canada par l'entremise du Programme d'Aide au Développement de l'Industrie de l'Édition (PADIÉ) pour nos activités d'édition.

Équipe de production

Chargée de projet : Pascale Couture
Révision linguistique : Marie Théorêt
Révision scientifique : Fernand Ouellet
Correction d'épreuves : Katie Delisle
Photographies : Gouvernement du Québec : p. 20 ; Conseil du patrimoine religieux du Québec ; 2003 : p. 24-27 ; Montreal Murugan Temple : p. 27 ; © Patti Sapone/Star Ledger/Corbis : p. 29 ; Adam and Eve in Paradise (Oil on canvas) par Johan Wenzel Peter (1745-1829) © Private Collection/photo © Rafael Valls Gallery, London UK/The Bridgeman Art Library Nationality/copyright status : Austrian/out of copyright : p. 59.
Illustrations : Patrick Bizier : p. 13, 30-31, 52-53, 58, 60-61, 63 ; Monique Chaussé : p. 3 ; Laurence Dechassey : Couverture, p. IV-VI, 1, 2, 4, 5-6, 11, 12, 14, 16, 17, 18, 23, 28, 33, 34-35, 36, 37, 40, 41, 42, 45-47, 48, 49, 51, 55, 56, 66.
Montage : Pige communication
Maquette : Marguerite Gouin
Couverture : Marguerite Gouin

Il est à noter que les termes propres à chaque tradition religieuse peuvent s'écrire d'autres façons que celles retenues dans le présent manuel.

Groupe Modulo est membre de l'Association nationale des éditeurs de livres.

En harmonie
Diapason – Manuel de l'élève A

233, avenue Dunbar
Mont-Royal (Québec)
Canada H3P 2H4
Téléphone : 514 738-9818/1 888 738-9818
Télécopieur : 514 738-5838/1 888 273-5247
Site Internet : www.groupemodulo.com

Dépôt légal — Bibliothèque et Archives nationales du Québec, 2008
Bibliothèque et Archives Canada, 2008
ISBN 978-2-89650-034-5

Imprimé au Canada
1 2 3 4 5 12 11 10 09 08

TABLE DES MATIÈRES

- Prendre connaissance, décrire et mettre en contexte des situations qui te sont présentées.
- Formuler dans tes mots une question éthique.
- Comprendre ce qui se passe dans une situation.
- Comparer des points de vue présentés dans une situation.
- Repérer des valeurs et des normes qui s'opposent dans ces situations.
- Comparer ta perception de la situation à la perception de tes pairs.

- Examiner et proposer des actions ou des options possibles en lien avec les situations.
- Nommer des effets qui pourraient découler des actions ou des options proposées.
- Choisir les actions ou les options qui favorisent le vivre-ensemble.

- Examiner des repères pour comprendre les différents points de vue.
- Rechercher le rôle et le sens de ces repères.
- Considérer d'autres repères que ceux exprimés dans la situation.
- Faire un retour sur la démarche qui t'a permis de parvenir à ces choix.

Manifester une compréhension du phénomène religieux, c'est…

- Nommer, décrire et mettre en contexte des expressions du religieux.
- Explorer ces expressions afin d'en comprendre la signification.
- Faire des liens entre ces expressions et leur tradition d'origine.
- Faire un retour sur ses découvertes.

- Découvrir des expressions du religieux dans ton environnement.
- Les relier avec des éléments sociaux et culturels d'ici et d'ailleurs.
- Reconnaître leur influence dans la société.
- Relever ce que ces expressions du religieux ont en commun et ce qui les distingue.

- Explorer différentes façons de penser, d'être et d'agir dans la société, à l'intérieur d'une même tradition religieuse et dans diverses traditions religieuses.
- Nommer des comportements appropriés face à cette diversité.

Des définitions

Une **expression du religieux**, c'est un élément qui appartient à une ou à plusieurs dimensions d'une religion. Ces expressions s'enracinent et se développent dans une société, une culture. Une croix de chemin, une synagogue ou le cercle sacré autochtone en sont des exemples.

Une **norme** encadre les comportements des individus. Elle indique les comportements normalement attendus dans une société ou un groupe donné. Par exemple, c'est la norme de saluer les gens qu'on connaît quand on les rencontre.

- Avec les autres, mettre en place des règles afin d'assurer le bon déroulement du dialogue.
- Exprimer ton point de vue, tes préférences, tes sentiments et tes idées selon les règles et les formes de dialogues qui te sont proposées.
- T'intéresser au point de vue des autres et le questionner.

- En silence ou avec d'autres, bien comprendre le sujet du dialogue.
- Faire des liens entre ce que tu découvres et ce que tu connais déjà.
- Repérer ce qui est important dans les points de vue énoncés.
- Faire le point sur tes réflexions.

- Utiliser des ressources qui t'aideront à mieux comprendre le sujet du dialogue.
- Reconnaître qu'il existe différentes façons de percevoir ce sujet.
- Exprimer tes idées ou ta façon de le percevoir.

Des définitions

Un **principe moral**, c'est une norme qui indique ce qu'il faut faire ou ne pas faire pour atteindre ce qui est considéré comme bien.

Un **repère** est un élément que l'on puise dans l'environnement social et culturel. Il éclaire nos réflexions dans diverses situations. Il peut être d'ordre moral, religieux, scientifique, littéraire ou artistique. La Charte canadienne des droits et libertés , par exemple, est un repère.

Une **valeur**, c'est ce qui est considéré comme très important pour une personne ou un groupe de personnes. Par exemple, l'amitié, l'honnêteté, le respect, etc.

Unité 1

JE, TU, NOUS

Ta famille, ta classe, ton équipe de soccer ou ton groupe d'amis, voilà autant de milieux où tu peux apprendre à vivre avec d'autres.

Pour bien vivre en groupe, tu devras découvrir les règles qui permettent à chacun de se sentir respecté. Grâce aux autres, tu verras davantage qui tu es et tu apprendras ce que tu es en mesure de partager.

L'ÎLE DÉSERTE

Octave s'est réveillé en sursaut. Son cœur bat à toute vitesse. Il a chaud et ses mains sont moites. Tout cela à cause d'un rêve étrange dans lequel il avait échoué, seul, sur une toute petite île en plein milieu de l'océan. Octave avait beau regarder partout, il n'apercevait personne. Autour de lui : de l'eau à perte de vue.

Ouf ! Heureusement, ce n'était qu'un rêve.

Octave tâte les couvertures. Sa main retrouve une grosse boule de poils toute chaude. C'est Velcro, son chat. Octave prend une grande respiration. Il est plus calme maintenant. Il peut se rendormir.

Imagine que tu te retrouves sur une île où il n'y aurait personne. Imagine aussi que tu y restes longtemps.

1. Pourquoi le fait de nous retrouver seul nous effraie-t-il ?
2. Certaines personnes te manqueraient plus que d'autres. Nomme ces personnes.

Les humains sont des êtres de relation.

Que comprends-tu de cette phrase ?

VIVRE EN GROUPE

Les êtres humains ont toujours ressenti le besoin de se regrouper. On sait, grâce à des recherches et à des fouilles archéologiques, que les premiers humains s'assemblaient déjà en petits groupes. Ils trouvaient refuge à l'entrée de grottes ou dans de simples abris. Ensemble, ils parvenaient à nourrir chaque membre du groupe en chassant et en cueillant des plantes et des fruits.

Petit à petit, les êtres humains se sont mis à cultiver la terre et à élever des animaux. Les petites bandes d'individus se sont peu à peu regroupées pour former des villages. Puis, des villes se sont développées et sont devenues de plus en plus grandes.

D'après toi, pourquoi les humains se sont-ils toujours regroupés ainsi? Exprime ton point de vue et prête attention à celui des autres.

LA FAMILLE D'OCTAVE

Octave était enfant unique. Il adorait ses parents, mais rêvait d'avoir un petit frère ou une petite sœur. Comme le bébé ne venait pas, ses parents avaient décidé d'adopter un enfant. Octave attendait l'arrivée de ce petit être avec impatience. Depuis un an, lui et ses parents se préparaient à l'accueillir. Une chambre avait été aménagée. Octave avait même fabriqué un mobile, pour l'accrocher au-dessus de la couchette. Il y avait inscrit le prénom de Lan. Puis, le moment est arrivé. Les parents d'Octave ont fait un long voyage et sont revenus avec un bébé. C'est ainsi que Lan, une fillette venue d'ailleurs, est entrée dans la vie d'Octave. Rapidement, Octave et Lan se sont attachés l'un à l'autre.

La famille est le premier groupe d'appartenance d'une personne.

La personne que tu es aujourd'hui s'est construite notamment à partir de la famille dont tu fais partie. Tes parents t'ont appris leurs goûts, leur vision de la vie, leurs habitudes, etc. Leurs gestes et leurs valeurs ont participé à façonner ta personnalité.

Depuis ta naissance, tu fais partie d'un groupe de personnes. Ce groupe, c'est ta famille. Il peut prendre diverses formes.

1. Décris deux groupes familiaux que tu connais et qui ont une forme différente.

OCTAVE ET SES AMIS

En plus de ta famille, il y a des amis, des voisins et les élèves de ta classe qui gravitent autour de toi.

OCTAVE

Depuis qu'il est tout petit, Octave a la réputation d'être un enfant curieux. Sans doute est-ce en raison des mille et une questions qu'il pose sans jamais se lasser. Sociable, il essaie de passer tous ses temps libres avec ses amis à inventer de nouveaux jeux, à se promener en forêt ou à jouer au soccer. Il adore apprendre.

NADJA

À l'âge de trois ans, Nadja fréquentait la même garderie qu'Octave et elle habitait à côté de chez lui. Ils ont toujours été amis. Comme Octave, elle est curieuse de toute chose et aime résoudre des mystères. Très active, elle passe ses temps libres dehors et, quand elle le peut, sur son vélo. Nadja est particulièrement fière de son grand-père, d'origine attikamek, dont elle a hérité les yeux.

SIMON

Depuis l'été dernier, un garçon s'est ajouté aux jeux d'Octave et de Nadja : c'est Simon. Arrivé d'Haïti avec ses parents il y a quelque temps, il a d'abord fréquenté une école dans une autre ville. Comme son papa a trouvé un emploi dans le quartier, sa famille a déménagé près de chez Octave. Curieux, un brin timide et joueur de soccer remarquable, il a tout de suite plu à Octave et Nadja. Ils forment un trio épatant au dire de monsieur Paulo.

MONSIEUR PAULO

Monsieur Paulo est un ami de la famille d'Octave depuis toujours. Il est bien connu dans le quartier, car il possède une boutique très particulière : il vend des chapeaux. Octave y est allé si souvent, qu'il est devenu ami avec monsieur Paulo. Il faut dire que ce monsieur a toujours été accueillant avec Octave. Très patient, il n'a jamais refusé de répondre à ses multiples questions. Le plus curieux, c'est lorsqu'il lui répond : « Mon enfant, écoute les chapeaux te parler. » Monsieur Paulo les connaît bien, ses chapeaux, leur histoire, leur provenance, tout !

1. Selon toi, pourquoi Octave, Simon, Nadja et monsieur Paulo sont-ils amis ?

QUI SE RESSEMBLE S'ASSEMBLE

Lorsque tu choisis de te regrouper avec certaines personnes, c'est sans doute parce qu'elles te plaisent. Tu aimes leur compagnie. Ces personnes ont certainement des points en commun avec toi.

Pendant la semaine, il y a des moments où tu n'es pas à l'école. Tu as des moments bien à toi où tu peux pratiquer des activités que tu aimes. Ces activités reflètent tes goûts et tes champs d'intérêt. À l'occasion, tu rencontres des personnes qui aiment la même activité que toi. On peut dire que ces personnes ont des goûts et des champs d'intérêt semblables aux tiens.

Quelles sont les qualités que tu apprécies chez tes amis ?

1. Fais l'inventaire des activités que tu aimes pratiquer lorsque tu as des temps libres.
2. Si tu dressais ton portrait et celui d'un ami, qu'auriez-vous en commun ?

UNE CLASSE DE RÊVE

Au début de chaque année scolaire, tout le monde s'inquiète un peu. La première journée est un moment bien spécial. Faire partie d'un nouveau groupe classe, c'est à la fois excitant et énervant. Chacun souhaite retrouver ses amis. Parfois, on espère faire partie du groupe de tel enseignant ou tel autre.

Ton groupe classe est un groupe important. Tu y passes beaucoup de temps. C'est bien entendu plus rassurant lorsque tu y retrouves tes amis. Tu te sens en confiance. Cependant, les choses ne vont pas toujours comme tu le souhaiterais. Les personnes qui font partie de ta classe ne sont pas nécessairement celles que tu aurais choisies. Elles te sont imposées. Tu dois parfois apprendre à aller vers des personnes que tu ne connais pas. Tu dois essayer de découvrir leurs qualités.

Lorsque tu te retrouves dans un groupe où tu ne connais personne, est-il préférable d'aller vers les autres ou d'attendre qu'ils viennent vers toi ? Pourquoi ?

1. Nomme d'autres groupes de personnes dont tu fais partie, et que tu n'as pas choisis.

ÇA VA OU ÇA NE VA PAS ?

La vie de groupe exige que l'on se donne des règles de fonctionnement, un code de vie. Pour construire un code de vie, il faut que toutes les personnes du groupe s'entendent sur ce qui est acceptable et ce qui ne l'est pas.

Quand tu es jeune, les adultes décident pour toi. Plus tu vieillis, plus tu peux participer à cette réflexion.

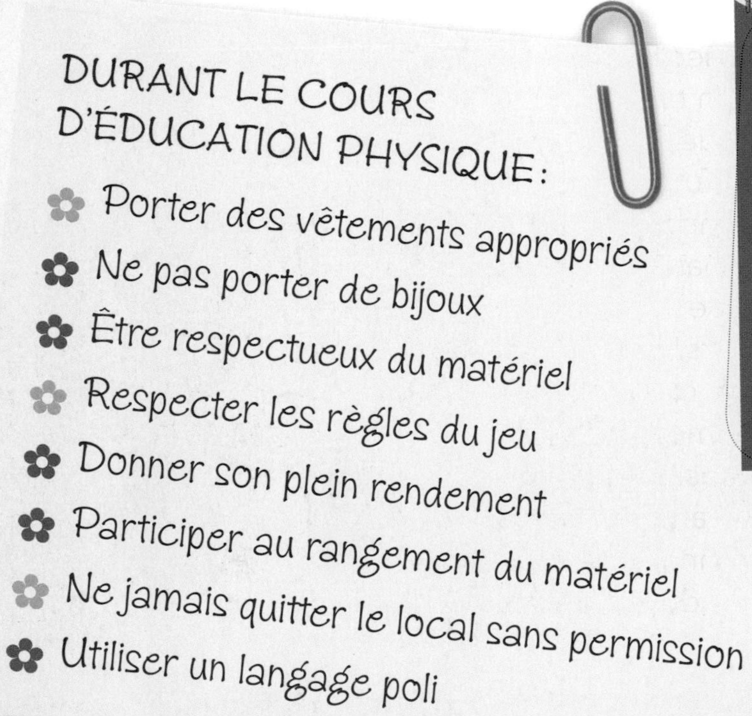

Si tu pouvais faire disparaître une règle du code de vie de ta classe, laquelle choisirais-tu ? Pourquoi ? Quelle conséquence cela aurait-il ?

Lorsque les membres d'un groupe se mettent d'accord sur les comportements qui sont acceptables et ceux qui sont inacceptables dans leur groupe, ils se donnent des normes.

1. Reprends le code de vie de ta classe et, pour chacun des énoncés, détermine les limites acceptables et inacceptables.

Unité 2

DES CROYANCES ET DES ÊTRES

Il existe différents êtres.

Il existe différentes croyances.

OCTAVE CHEZ MONSIEUR PAULO

Toutes les fois qu'il le peut, Octave se rend à la boutique de monsieur Paulo. Il y a tant de choses à y faire : vider les boîtes, épousseter les chapeaux ou encore ranger les étalages. Avec ses 72 ans, le vieil homme trouve parfois les journées longues.

Monsieur Paulo a toujours été fier de sa boutique et de tous ses chapeaux qu'il est allé chercher aux quatre coins du monde. Son père était un grand chapelier italien et lui a transmis sa passion. On peut dire que les chapeaux n'ont plus de mystère pour lui. De tous ses voyages, il a aussi ramené bien des anecdotes qu'il raconte souvent à Octave. Mais, il faut avouer que ce qu'Octave apprécie par-dessus tout, ce sont toutes les réponses qu'il découvre grâce à monsieur Paulo.

1 Nomme des personnes avec qui tu aimes passer du temps. Pourquoi aimes-tu être avec elles ?

DES CHAPEAUX QUI PARLENT

Ce dimanche-là, Octave, Nadja et Simon n'arrivent pas à se calmer. Monsieur Paulo a promis qu'il leur ferait découvrir quelque chose de nouveau. En tournant le coin de la rue, ils aperçoivent la boutique ; les trois amis accélèrent le pas.

Après les salutations, monsieur Paulo les invite à le suivre dans une pièce située sous la boutique. Octave, Nadja et Simon ne savaient même pas que cet endroit existait.

Dans la pièce, tout est rangé avec soin. Il y a des boîtes identifiées par des numéros ou peut-être des dates, un ordinateur entouré de livres et de documents. Sur le mur, une imposante carte géographique est affichée. On y a piqué des punaises colorées. Le plafond est très bas. Monsieur Paulo peut y circuler librement, mais on dirait que les fondations ont été coulées sur mesure pour sa taille. Au mur, derrière l'ordinateur, Octave remarque un cadre sur lequel il lit : « L'association secrète des Chapeliers… »

Comme ils sont excités, tous les trois ! Non seulement monsieur Paulo leur a permis de descendre dans cette pièce secrète, mais ils pourront aussi regarder le contenu d'une des boîtes qui s'y trouvent.

— À toi l'honneur, proclame monsieur Paulo.

Nadja s'approche de toutes les boîtes, puis en choisit une : la boîte numéro 1254. Elle la dépose sur la table. Simon et Octave s'avancent doucement pour voir ce qu'il y a dans la boîte. Délicatement, Nadja en sort son contenu. Les trois copains se regardent. Ils sont surpris.

La boîte contenait trois chapeaux et un voile soigneusement plié.

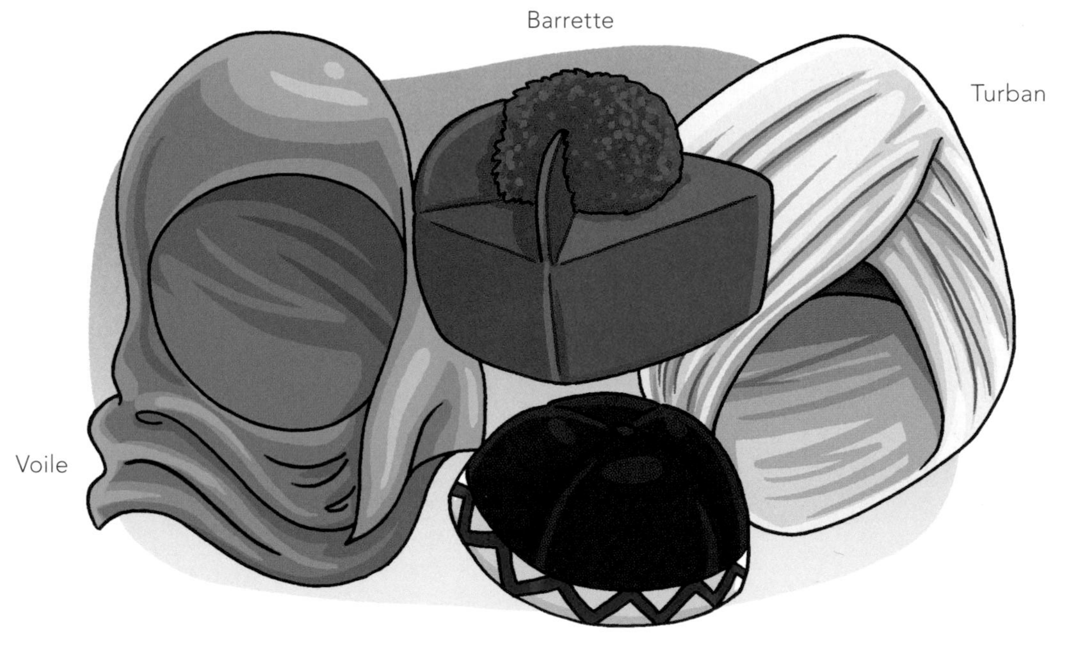

— Maintenant, voyons si ces chapeaux ont des choses à vous dire, continue monsieur Paulo.

1 Observe bien ces chapeaux. À quelles grandes religions peux-tu les associer ?

LE BESOIN DE COMPRENDRE

Toute ta vie, tu connaîtras des moments heureux : un anniversaire ou la rencontre d'un nouvel ami, par exemple. Ces moments bonifient ta vie.

D'autres événements sont plus difficiles à traverser : un mauvais résultat à l'école ou un conflit avec un ami.

Face aux événements de la vie, qu'ils soient heureux ou difficiles, tu réagis, tu éprouves des émotions, tu te questionnes, tu veux comprendre.

À travers les événements que tu vis, les questions que tu te poses et les réponses que tu obtiens, tu construis ta compréhension de la vie.

Ces réponses, nous les trouvons de toutes sortes de façons.

Face aux questions importantes de la vie que tu peux te poser, les religions proposent des réponses. Beaucoup de gens éprouvent le désir de partager leurs questions et leurs réponses religieuses dans des groupes de foi.

Beaucoup de personnes acceptent des réponses religieuses à leurs questions ou puisent ces réponses dans leurs groupes religieux.

Voici des mots que tu as peut-être déjà vus.
Regarde-les bien.

Il existe plusieurs grandes traditions religieuses dans le monde, en voici cinq des plus connues au Québec : le christianisme, le judaïsme, l'islam, le bouddhisme et l'hindouisme. À l'intérieur de chacune de ces religions, on retrouve différentes familles de croyants.

Au Québec, la religion qui regroupe le plus de croyants est le christianisme. Parmi eux, on compte notamment les catholiques et les protestants. Il existe aussi plusieurs autres groupes de croyants. Enfin, plusieurs Québécois n'adhèrent à aucune religion.

Est-ce possible de s'entendre avec des gens qui n'ont pas la même compréhension de la vie que la nôtre ?

LA COLÈRE DE DAVID

David est en colère contre son ami Martin. Son visage est crispé, il fronce les sourcils. Son sourire habituel a disparu.

Tout allait bien, jusqu'à ce que les deux copains parlent de leur fin de semaine. David a raconté qu'il était allé prier à l'église avec ses grands-parents. Martin a rétorqué qu'il ne va jamais à l'église.

— Mon père dit qu'il n'est pas nécessaire d'aller à l'église, a-t-il ajouté.

David a très mal pris les propos de son ami. Il est devenu rouge et lui a déclaré qu'il était stupide et ignorant.

Certains **comportements nuisent au dialogue**. L'**attaque personnelle** en est un exemple. Cela consiste à attaquer une personne avec des mots, de manière à détruire sa crédibilité.

L'**appel au clan** est un autre **procédé qui nuit au dialogue**. Il consiste à faire accepter un argument en le faisant endosser par une personne qu'on estime.

1. Dans tes mots, énonce les points de vue présents dans cette situation.

En équipe, imagine et joue la scène en faisant en sorte que les deux personnages s'expriment de façon plus respectueuse du point de vue de l'autre.

Unité 3

TA PROVINCE SE RACONTE

Regarde autour de toi, plusieurs signes révèlent la présence de la religion chrétienne. Les noms de villes ou de villages, de rues et d'édifices en témoignent.

LA MACHINE À VOYAGER DANS LE TEMPS

En faisant du ménage, Nadja et sa mère ont trouvé un vieux coffre dans un placard du sous-sol. À voir la poussière qui le recouvre, il doit être là depuis longtemps. En passant sa main dessus, Nadja découvre le nom de sa mère inscrit au crayon-feutre.

Nadja ouvre le coffre. Elle met d'abord la main sur une vieille raquette de tennis. Juste à côté se trouve une médaille sur laquelle est gravée une inscription : « Championne junior ».

Elle sort ensuite une vieille photo. C'est sa maman alors qu'elle était plus jeune. Elle porte un drôle de chapeau et tient un bout de papier roulé dans sa main.

Nadja trouve aussi une petite couverture de bébé. Elle devine qu'elle appartenait à sa maman il y a de cela longtemps.

Dans un coin du coffre, elle aperçoit une grosse enveloppe jaune assez lourde. Sur l'enveloppe, elle peut lire « Lettres d'amour ». Cela la fait rire !

Nadja remarque aussi plusieurs photos d'un bébé. C'est elle !

Elle retrouve un beau dessin qu'elle a fait pour sa mère au début de la maternelle. Au verso, sa maman a écrit : « Premier dessin de la maternelle ».

Finalement, Nadja ouvre une petite enveloppe dans laquelle est rangée une magnifique bague.

— Maman, viens vite ! J'ai mis la main sur un trésor !

— Je savais que tu la trouverais.

— Comme elle est belle, cette bague ! Elle est à toi ?

— Elle l'est devenue. Elle appartenait à mon arrière-grand-mère. C'est ma mère qui me l'a offerte lorsque tu es née. Cette bague représente beaucoup plus qu'un simple bijou.

1. Possèdes-tu des objets que tu gardes précieusement ? Lesquels ? Demande à tes parents s'ils en ont aussi.
2. Pourquoi garde-t-on soigneusement ces objets ?

Si tu possédais une machine à voyager dans le temps, tu pourrais rencontrer les membres de ta famille qui ont vécu avant toi. Comme cette machine n'existe pas, tu peux te souvenir d'eux et connaître leur histoire grâce à des traces ou à des objets qu'ils ont laissés. Ces traces ou ces objets traversent les années et gardent des souvenirs bien vivants. Ces souvenirs te permettent de connaître ton histoire. Ils racontent d'où tu viens et qui tu es. Connaître notre passé nous permet de mieux comprendre qui nous sommes aujourd'hui.

L'HÉRITAGE DE NOS ANCÊTRES

Ta famille a une histoire. Tes parents ont des parents qui ont eu des parents eux aussi. Pendant leur vie, ces gens ont vécu des événements importants et ont réalisé des rêves, des projets. Tout cela fait partie de ton histoire. Tu peux remonter ainsi jusqu'aux premières personnes qui ont porté ton nom de famille : tes ancêtres.

Il n'y a pas que les personnes qui ont une histoire. Les villes, les provinces et les pays en ont une aussi. Si tu regardes autour de toi, dans ton environnement, tu découvriras des traces d'événements et de personnes qui ont construit l'histoire de ta province.

Le patrimoine est un héritage laissé par ceux et celles qui ont vécu avant nous. Voici des exemples de ce qui peut faire partie du patrimoine du Québec :

- des œuvres d'art ;
- des monuments, des statues ;
- des livres ;
- des édifices ;
- des pièces musicales ;
- des lieux ;
- des jardins ;
- des événements, des fêtes.

1. Nomme un édifice ou un monument de ta ville ou de ton village qui constitue un héritage d'autrefois.

D'HIER À AUJOURD'HUI

Au moment de la colonisation, les nouveaux habitants du Québec étaient presque tous des chrétiens. Ensemble, ils ont bâti le pays. La religion participe alors à ce développement, influençant les croyances, les valeurs et les habitudes de vie des gens. Encore aujourd'hui, on retrouve de multiples traces de cette influence.

À cette époque, des Autochtones habitent déjà les lieux. Des noms de cours d'eau et de villages témoignent, encore de nos jours, de cette présence.

1. Nomme un lieu, un édifice ou un objet qui fait partie du patrimoine religieux de ta ville ou de ton village.
2. Connais-tu une fête qui est célébrée par beaucoup de gens au Québec et qui montre l'influence de la religion catholique ? Laquelle ?
3. Trouve un cours d'eau ou un village qui porte encore un nom autochtone.

DES FESTIVITÉS

Pour différentes raisons et à diverses occasions, les chrétiens se réunissent à l'église. Certains rassemblements ont lieu à des moments spécifiques de l'année et se répètent chaque année.

1. À quoi te font penser ces images?
2. Parmi ces images, certaines sont reliées à la dimension religieuse de la fête de Noël des croyants chrétiens. Identifie-les.

LA MESSE DE MINUIT

Vendredi 15 h. La cloche sonne. Comme à son habitude, Octave se rend chez monsieur Paulo. Le vendredi, il a droit à un chocolat spécialement préparé pour lui.

Déjà occupé avec un client, monsieur Paulo fait signe au garçon de descendre au sous-sol. Octave aperçoit une boîte ouverte sur la table de travail. Il regarde à l'intérieur et voit un chapeau bien étrange. Monsieur Paulo arrive.

1. Que connais-tu de la messe de minuit ?
2. Quand cette messe a-t-elle lieu ?

Petites, moyennes et grandes

Les chrétiens se rassemblent à l'église pour prier et pour assister à des cérémonies religieuses, comme lorsqu'ils célèbrent la messe de minuit.

Quand on l'écrit avec une lettre minuscule, le mot église correspond à l'édifice où les chrétiens se rassemblent. Cet édifice peut prendre plusieurs formes et porter divers noms. Quand on l'écrit avec une lettre majuscule, le mot Église fait référence à l'ensemble des croyants.

UNE ÉGLISE PAROISSIALE

La province de Québec est divisée en plusieurs régions. Chacune des régions regroupe un ensemble de paroisses. Dans chaque paroisse, on trouve une église où se rassemblent les chrétiens catholiques.

Il existe également des églises où se rassemblent les chrétiens protestants.

Église Saint-Michel de Sillery

Église Unie du Canada à Knowlton

Cathédrale Saint-Hyacinthe-le-Confesseur

UNE CATHÉDRALE

Les très grandes églises sont des cathédrales. C'est là que travaille l'évêque. Un évêque est une personne qui a des responsabilités particulières dans la religion chrétienne catholique. L'évêque est un peu comme un patron qui s'occupe de la vie d'une communauté de croyants sur un territoire donné.

Cathédrale orthodoxe ukrainienne Sainte-Sophie de Montréal

Les chrétiens orthodoxes érigent également des cathédrales. Pour cette communauté de croyants, ces lieux de rassemblement sont aussi le siège d'évêques.

UNE BASILIQUE

De très vieilles églises datant de plusieurs centaines d'années ont reçu le nom de basilique. Ces églises ont été construites selon des règles particulières et elles ont une histoire spéciale.

Basilique Sainte-Anne-de-Beaupré

Petite chapelle de Tadoussac

UNE CHAPELLE

La chapelle peut ressembler à une église. Ce bâtiment est cependant plus petit et n'appartient pas à la paroisse. Des groupes de personnes ou des particuliers décident de faire construire des chapelles pour différentes raisons. Ce sont des endroits pour prier. On n'y célèbre pas nécessairement de cérémonies religieuses.

Une église peut prendre diverses formes. Cependant, certains éléments y sont toujours présents.

1. Nomme deux éléments caractéristiques d'une église.

D'autres lieux de culte

Il existe des lieux de culte particuliers pour chacune des grandes religions. Ces lieux prennent diverses formes. Les croyants s'y rassemblent pour prier ou pour vivre des célébrations religieuses.

C'est à la synagogue que les juifs se rassemblent. (Temple Salomon à Montréal)

Chez les Autochtones, la nature est un lieu de recueillement.

On appelle temple (parfois pagode), le lieu de rassemblement des bouddhistes. (Pagode Chun Lien-Hoa à Brossard)

Pour les hindous, c'est le temple qui sert de lieu de prière et de rassemblement. (Temple Murugan à Dollard-des-Ormeaux)

1 Nomme un élément caractéristique d'un de ces lieux de culte.

LA GUIGNOLÉE

Octave est confortablement blotti sous une couverture alors qu'on sonne à sa porte. Il se lève d'un seul coup et s'élance. Son père a déjà ouvert lorsqu'il arrive.

Devant eux, ils découvrent deux adultes portant des chapeaux de Noël.

— C'est la guignolée ! Avez-vous quelque chose à nous donner ?

Le père d'Octave va vers la cuisine et revient après quelques secondes.

— Voilà, dit-il.

Il remet des conserves, des pâtes alimentaires et des essuie-mains aux deux personnes à la porte.

— Merci, monsieur. Joyeuses fêtes !

1 Que signifie l'expression « guignolée » ?

La charité est un geste important pour les chrétiens. Elle consiste à offrir du temps, de l'amour ou de l'argent à des personnes qui en ont besoin. C'est de cette volonté d'aider les gens qu'est née la guignolée, maintenant devenue une tradition au Québec.

Elle a lieu chaque année au début du mois de décembre. Les guignoleux et guignoleuses passent de porte en porte afin d'amasser de la nourriture non périssable et des dons en argent. Ces dons sont ensuite redistribués aux personnes qui en ont besoin.

La guignolée est l'exemple d'une trace que la religion catholique a laissée sur la façon de vivre des Québécois. Aujourd'hui, les bénévoles qui y travaillent et les gens qui donnent généreusement ne font pas nécessairement partie de la famille catholique.

2 Pourquoi profite-t-on de la période de Noël pour solliciter la générosité des gens ?

Le partage

Chacune des religions propose des façons de se comporter avec les autres. Le bouddhisme, le christianisme, l'hindouisme, l'islam et le judaïsme, entre autres, enseignent des idées et des valeurs telles que le partage, la générosité ou le don.

La célébration musulmane de l'Id al-Adha ou Id al-Kabir est un exemple de l'importance du partage et de la charité. Cette fête est un jour de joie pour tous les musulmans qui se rappellent alors une grande épreuve vécue par le prophète Abraham.

Il y a longtemps, Dieu demanda à Abraham de lui offrir son fils en sacrifice. C'était un choix déchirant pour Abraham, qui aimait son enfant. Il accepta cependant, car il respectait Dieu et voulait lui démontrer sa très grande foi. Au moment où Abraham allait sacrifier son fils, Dieu l'en empêcha. Il lui dit d'égorger un bélier à la place. Par sa soumission à Dieu, même devant les situations les plus difficiles, Abraham est devenu un exemple de foi et d'obéissance pour tous les juifs, chrétiens et musulmans.

Aujourd'hui, la fête d'Id al-Kabir rappelle l'histoire du sacrifice d'Abraham. Elle est aussi une occasion de partager avec les plus démunis. Durant cette fête, les familles qui le peuvent achètent un mouton dont la viande sera servie lors d'un repas. Ce repas est spécial, car les familles les plus riches le partageront avec des familles moins bien nanties. C'est ainsi que riches et pauvres festoient ensemble et que tout le monde peut participer à cette grande fête.

1. Que signifie le mot « charité » ?
2. Identifie la valeur mise de l'avant dans la fête Id al-Kabir.

Tsédaka

Des règles, des principes et des valeurs guident aussi la façon d'agir des juifs.

«S'il y a chez toi quelque indigent d'entre tes frères, dans l'une de tes portes, au pays que l'Éternel, ton Dieu, te donne, tu n'endurciras point ton cœur et tu ne fermeras point ta main devant ton frère indigent. Mais tu lui ouvriras ta main, et tu lui prêteras de quoi pourvoir à ses besoins.»

Deutéronome 15:7-8

Cette phrase est tirée d'un livre, la **Torah**, contenant des écrits très importants pour les membres de la religion juive.

Les juifs croient qu'il est juste d'être généreux. Pour cette raison, ils choisissent d'observer des règles d'entraide et de solidarité pour devenir de meilleures personnes.

La **Tsédaka** est d'abord un principe de justice. C'est une règle qui veut que les juifs partagent une part équitable de leurs revenus avec les membres de leur communauté. À cette fin, il arrive que des petites tirelires soient installées dans des commerces juifs afin de recueillir des dons qui seront redistribués à la communauté.

Dans quelle situation serait-il acceptable de ne pas être généreux?

1. L'importance de la générosité dans la communauté juive s'appuie sur quelle valeur?

CHEZ LES INUITS

La vie en groupe est un élément central de la culture des Inuits qui habitent au nord du Canada. En ces terres nordiques, la recherche de nourriture n'a jamais été facile, car même les jours de grands froids, les Inuits devaient partir à la chasse et à la pêche. Ces expéditions périlleuses ne s'avéraient pas toujours fructueuses. Aussi, pour survivre, ont-ils appris à compter les uns sur les autres. Dans ces communautés, chacun est responsable de la survie du groupe en entier. L'entraide est essentielle. Redonner un peu de ce qu'on a reçu permet de maintenir un équilibre entre les membres de la communauté. Ainsi, lorsque la chasse a été bonne pour l'un d'entre eux, il en partage le fruit avec les autres. Lorsqu'une personne est dans le besoin, les autres s'occupent d'elle. Elle n'a pas à le demander, c'est comme cela.

1. Pour les Inuits, quels sont les avantages à s'entraider?

Unité 4

DES BESOINS ET DES GROUPES

Les individus participent à une foule d'activités en groupe.

En effet, la vie de groupe permet de répondre à des besoins spécifiques.

VEUX-TU ÊTRE MON AMI ?

Hier, Simon a trouvé le dîner bien long. Octave était malade et n'est pas venu à l'école. Nadja n'était pas là non plus. Elle avait un rendez-vous chez le dentiste. Habituellement, la période du dîner est un moment agréable pour Simon. Octave, Nadja et lui se retrouvent sur le terrain de soccer et s'amusent tellement qu'ils ne voient pas le temps passer. À l'occasion, d'autres amis se joignent à eux et, tous ensemble, ils font une partie. Hier, c'était différent. Simon s'ennuyait et ne trouvait rien qui puisse l'intéresser.

1. Dans tes mots, exprime ce que Simon réalise en étant seul.
2. Nomme une autre réaction que Simon pourrait avoir.

Aujourd'hui, Nadja et Octave sont là. Les trois amis se sont donné rendez-vous sur le terrain derrière l'école. C'est Simon qui doit apporter le ballon.

Quand il est avec ses amis, Simon est joyeux. Il s'amuse et rit beaucoup. Il aime les taquiner et les faire rire. Il sent que Nadja et Octave l'apprécient. C'est comme ça depuis la première fois qu'ils se sont rencontrés.

Être choisi pour faire partie d'un groupe, c'est agréable. Ça réchauffe le cœur. Ça te donne de l'importance. C'est rassurant.

Pour faire progresser un dialogue, il peut être intéressant d'interroger les différents points de vue émis.

Quand une personne formule un point de vue, qui repose sur ses goûts et ses préférences, elle émet un **jugement de préférence**.

1. Est-il essentiel d'avoir des amis pour être heureux ?

DIGNE DE CONFIANCE

Samedi dernier, Octave a reçu un beau cadeau de monsieur Paulo : sa confiance. Ce jour-là, monsieur Paulo a décidé de lui raconter un moment précieux de sa vie.

Ils sont descendus ensemble silencieusement au sous-sol. Ils se sont assis à leur place habituelle. Au-dessus du bureau de monsieur Paulo se trouvait une jolie boîte. Octave l'avait souvent remarquée. Monsieur Paulo l'a prise et l'a soigneusement déposée sur la table. Il en a sorti un superbe diadème de mariée, celui de Marina, sa femme, décédée l'an dernier. Monsieur Paulo l'a regardé avec attention et l'a tendu à Octave en lui disant : « Le jour de mon mariage fut l'un des plus heureux de ma vie. » Puis, il a ajouté : « Tu sais, je l'aimais beaucoup et parfois elle me manque. Je me rappelle alors tout ce que nous avons vécu ensemble. »

D'après toi, pourquoi confie-t-on des secrets à certaines personnes plus facilement qu'à d'autres ?

Avoir des amis nous permet de connaître les autres et de nous connaître mieux nous-mêmes.

Cela nous permet aussi de développer l'estime de soi. L'estime de soi, c'est être capable de s'accepter avec ses faiblesses et ses forces et d'en être fier.

1 À partir de quels critères choisis-tu la personne à qui tu confies tes secrets ?

UNE INVITATION SPÉCIALE

La vie de groupe offre de belles occasions de faire des choses concrètes pour les autres.

Cela permet de répondre à un besoin important : se sentir utile.

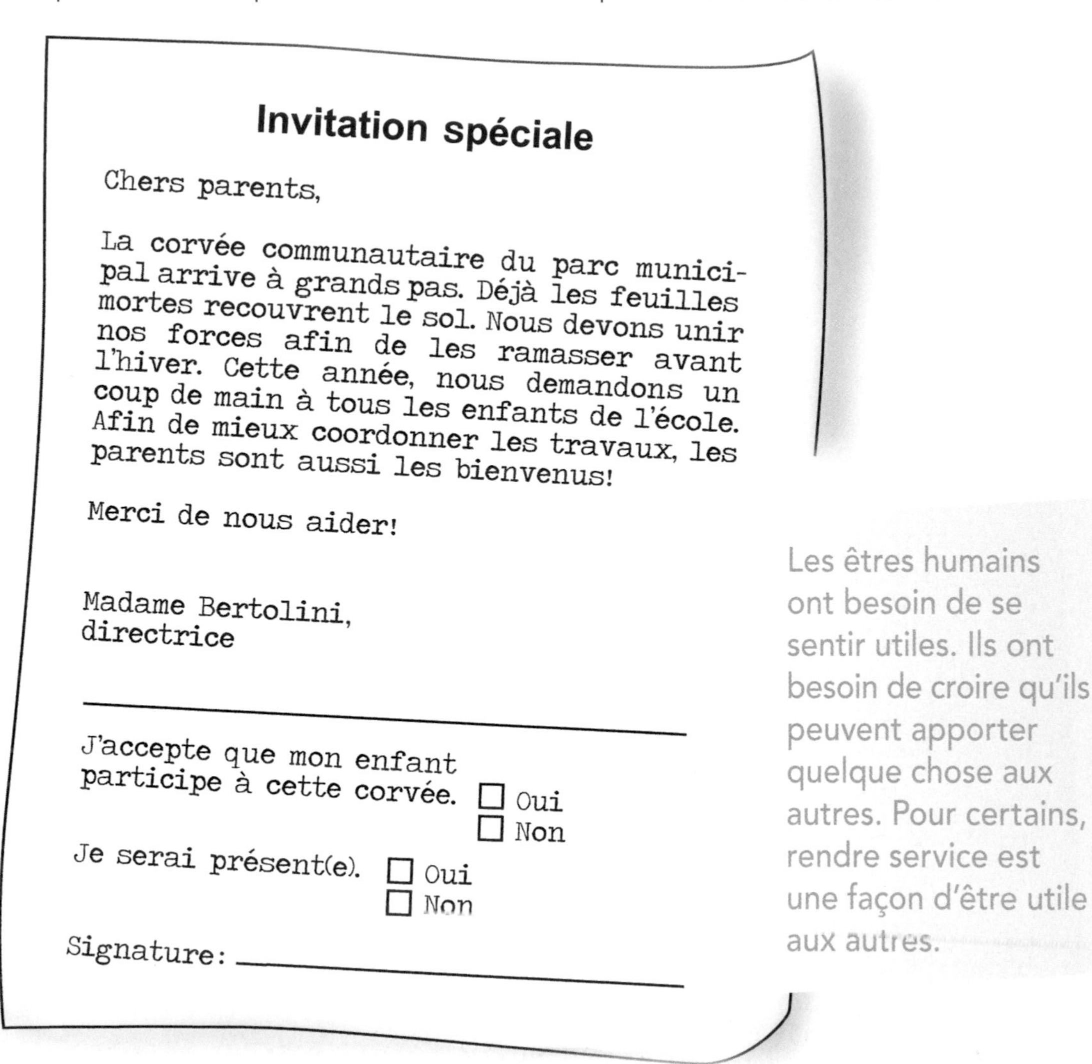

Invitation spéciale

Chers parents,

La corvée communautaire du parc municipal arrive à grands pas. Déjà les feuilles mortes recouvrent le sol. Nous devons unir nos forces afin de les ramasser avant l'hiver. Cette année, nous demandons un coup de main à tous les enfants de l'école. Afin de mieux coordonner les travaux, les parents sont aussi les bienvenus!

Merci de nous aider!

Madame Bertolini,
directrice

J'accepte que mon enfant participe à cette corvée. ☐ Oui ☐ Non

Je serai présent(e). ☐ Oui ☐ Non

Signature : ____________

Les êtres humains ont besoin de se sentir utiles. Ils ont besoin de croire qu'ils peuvent apporter quelque chose aux autres. Pour certains, rendre service est une façon d'être utile aux autres.

1. Si cette invitation s'adressait à toi, l'accepterais-tu ? Pourquoi ?
2. Pour quelles raisons pourrait-on ne pas participer à cette corvée ?

Unité 5

ENTRE AMIS

Pour qu'un enfant grandisse, il faut tout un village.

Proverbe africain

Quand les éléphants trébuchent, ce sont les fourmis qui en pâtissent.

Proverbe africain

La paix est meilleure que la plus juste des guerres.

Proverbe latin

Avoir la confiance de quelqu'un est un compliment plus important que d'être aimé.

George MacDonald

L'honneur de ton ami doit t'être aussi cher que le tien.

Proverbe juif

Savoir prendre sa place, de la bonne façon, sans prendre celle des autres.

Voilà un des grands défis de la vie de groupe.

UNE DÉCEPTION

Simon et les membres de sa famille vont souvent au centre communautaire du quartier. C'est un endroit qu'ils aiment beaucoup, car une foule d'activités y sont proposées. Cette saison, des cours de cuisine, de danse latine et de tango y sont donnés. Les enfants peuvent aussi y profiter d'une grande salle de jeux.

Cet après-midi, Simon et Carl se rendent à la salle de jeux pour disputer un match de soccer sur table. Tout joyeux, ils se dirigent vers le comptoir afin d'emprunter la balle nécessaire à leur partie. Malheureusement, la veille, des enfants ont utilisé le jeu et ils n'ont pas rapporté la balle. Simon et Carl ne pourront pas jouer au soccer sur table.

1. Que ressentirais-tu si une situation semblable t'arrivait ?
2. Qu'est-ce qui ne va pas dans cette situation ? Nomme un principe important de la vie de groupe qui n'est pas respecté.

PARTIE DE BASKET

Il est 12 h 10. Nadja et Octave ont terminé leur repas et sortent dans la cour d'école. Ils aimeraient bien continuer la partie de basket qu'ils ont commencée à la récréation du matin. Tous les deux, ils se précipitent vers le terrain de basket-ball. Ils ont hâte de voir qui sera le vainqueur.

En arrivant, Nadja constate que deux autres élèves jouent déjà.

— Avez-vous bientôt terminé votre partie ? demande-t-elle.

— Désolée, répond Marie, nous venons juste de commencer.

— Nous avons commencé une partie ce matin, explique Octave. Nous voudrions la terminer. Pourriez-vous nous laisser le terrain, s'il vous plaît ?

— Non. Nous attendons depuis deux jours pour avoir l'espace. C'est notre tour ! conclut Bastien.

1. Décris ce qui se passe dans tes mots.
2. Exprime ce qui est juste et ce qui est injuste dans cette histoire. Pourquoi ?
3. Quelles seraient tes émotions si tu étais à la place d'Octave et de Nadja ?

SORTIE ÉDUCATIVE

Depuis septembre, les élèves de la classe d'Octave attendent impatiemment. Leur enseignante leur a promis une sortie au musée. Enfin, le jour de la visite est arrivé.

— Maintenant, chers élèves, dirigeons-nous vers la partie la plus spectaculaire de la visite, dit le guide. C'est la salle que les jeunes préfèrent.

— Madame, chuchote Anna, je ne peux plus continuer, j'ai vraiment trop froid. Je peux aller chercher mon chandail ?

— D'accord, répond l'enseignante. Notre guide t'accompagnera et nous vous attendrons ici. Dépêche-toi.

Décris une situation où il est désagréable d'être en groupe.

En groupe, tu dois parfois t'ajuster aux autres. Tu ne peux pas faire comme s'il n'y avait personne d'autre que toi.

1. Qu'est-ce qu'un compromis ?
2. Est-ce au groupe ou à l'individu de faire le compromis ? Pourquoi ?
3. Décris une situation où tu as dû t'ajuster aux autres dans un groupe.

Un pour tous, tous pour un

Voici une abeille ouvrière.

Cette abeille vit dans une ruche qui peut abriter de 40 000 à 60 000 de ses semblables. Chacune a un rôle bien précis à jouer, ce qui assure le bon fonctionnement de la ruche.

Bien que les abeilles se ressemblent toutes, on distingue différentes catégories. Leur corps comporte des différences importantes qui déterminent leur rôle dans la ruche.

D'abord, la reine. Tout son temps est consacré à pondre des œufs. Elle dirige aussi la ruche : en émettant des signaux sonores, elle coordonne les activités des abeilles.

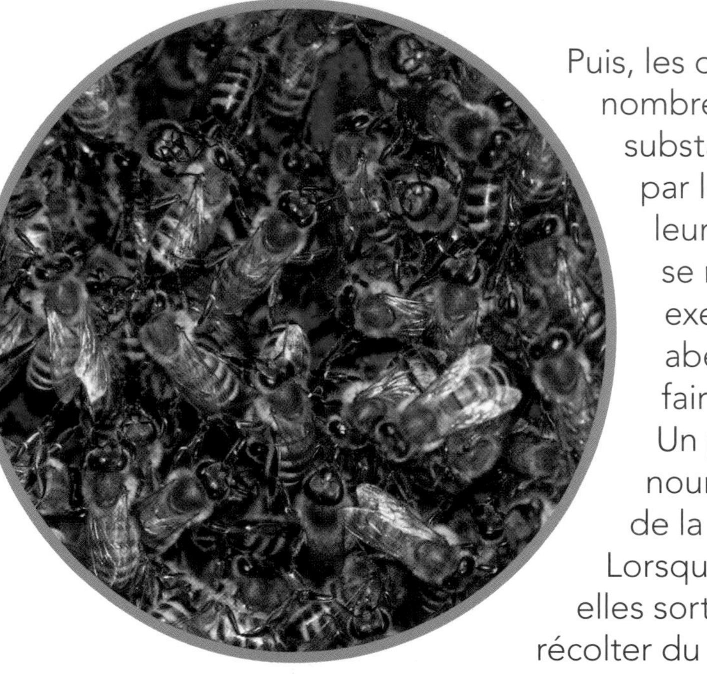

Puis, les ouvrières. Ce sont les plus nombreuses dans la ruche. Des substances chimiques émises par leur corps leur dictent leurs tâches. Ces substances se modifient avec l'âge. Par exemple, les plus jeunes abeilles sont chargées de faire le ménage de la ruche. Un peu plus tard, elles doivent nourrir les larves et s'occuper de la ventilation de la ruche. Lorsqu'elles atteignent 21 jours, elles sortent de la ruche pour aller récolter du nectar et du pollen.

Quand tu fais partie d'un groupe, tu as toi aussi un rôle à jouer. Ta présence dans ce groupe est importante. À ta façon, tu apportes quelque chose de plus au groupe dont tu fais partie. Tes forces, tes talents, tes qualités sont mis à profit et font de toi un élément important dans le groupe.

1. Nomme des qualités et des talents que tu apprécies chez les autres.
2. Compare tes idées avec celles de tes camarades.

Est-ce possible qu'une personne n'ait aucune qualité ni aucun talent? Pourquoi? Nomme un repère sur lequel s'appuie ta réponse.

La vie en groupe présente plusieurs avantages. Tu peux t'appuyer sur les talents des autres pour atteindre tes buts. N'est-ce pas fantastique? Mais cela ne s'arrête pas là. Grâce à tes qualités personnelles, tu peux toi aussi aider le groupe à atteindre ses buts.

Camping pour tous

Imagine que tu fais partie du groupe « Les aventuriers sans risque ». Ensemble, vous partez en voyage au Québec. Deux adultes, madame Mégane et monsieur Ali, sont les responsables. Ton groupe est formé de douze personnes. Voici comment pourrait se dérouler ton premier séjour.

Le point de ralliement pour le départ est la cour de l'école. Tous les voyageurs s'y rassemblent à 8 h 30. Le départ était prévu à 8 h 45. En réalité, le groupe part en retard, à cause d'un oubli d'un des membres du groupe.

Le minibus roule pendant de longues heures vers la mine de Templeton, le premier site à visiter.

Pour égayer le voyage, le groupe regardera un film. Le choix du film nécessite une longue discussion. Finalement, c'est un film d'aventure qui est présenté. Quelques-uns sont déçus.

En route, un arrêt est prévu pour le dîner. Tous les voyageurs doivent manger au même restaurant. Il y en a trois. Une partie du groupe veut se rendre au casse-croûte où l'on sert des sandwichs. Une autre partie veut plutôt aller au restaurant de pâtes et de salades. Enfin, le dernier choix, du poulet frit, plaît au troisième groupe. Après dix minutes de discussion, c'est le restaurant de pâtes et de salades qui est retenu. Certaines personnes sont mécontentes, mais la bonne humeur refait rapidement surface.

On reprend la route pour la mine. Malheureusement, le groupe doit se diviser en trois sous-groupes pour faire la visite. Juliette et deux de ses amis acceptent de partir avec un animateur qu'ils ne connaissent pas. Juliette aurait souhaité être avec madame Mégane ou monsieur Ali. Elle décide de ne rien dire de peur que l'on se moque d'elle.

Après la visite, les aventuriers se rendent sur le site de camping pour monter leur campement. Tout se passe bien.

À l'heure du souper, tous se répartissent les tâches. Certains vont chercher des brindilles de bois sec pour le feu. D'autres préparent l'emplacement du feu. Quelques-uns dressent la table. Deux amis se rendent au bureau de service (un petit dépanneur) pour acheter un ouvre-boîte, car monsieur Ali a oublié le sien à la maison.

La soirée devait se terminer par une veillée autour du feu de camp, à se raconter des histoires d'épouvante. Cette activité doit cependant être annulée, puisque ces histoires feraient faire des cauchemars à deux des membres du groupe. Les autres sont déçus.

La nuit est perturbée par un gros orage. La tente de Jean-François, qui n'est pas imperméabilisée, prend l'eau. Les personnes qui dormaient dans cette tente doivent aller dans les deux autres tentes. Certains sont mécontents.

Au retour, le lendemain matin, tout le monde est de bonne humeur et rit des mésaventures du voyage.

Un compromis, c'est lorsque tu acceptes de faire un petit bout de chemin vers ce qu'une autre personne ou les autres membres d'un groupe veulent. En contrepartie, les autres doivent en faire autant.

1. Relève des situations où les membres du groupe doivent faire des compromis.
2. Dans cette situation, y a-t-il des compromis qui te semblent plus difficiles à faire que d'autres ?

LA QUERELLE

Octave entre dans la boutique de monsieur Paulo. Il est content que son vieil ami chapelier soit là. Le jeune garçon ne se sent pas bien du tout. Il s'est querellé avec son ami Simon. Il a besoin de se confier. Voici ce qu'il raconte à monsieur Paulo :

— Hier, après l'école, Nadja et moi avons joué ensemble. Nous nous sommes bien amusés. Simon n'était pas là. Ce matin, quand il a su que nous avions joué ensemble sans lui en parler, il est devenu rouge de colère. Il a simplement dit qu'il croyait que nous étions ses vrais amis, puis il est parti. Il ne nous a pas adressé la parole de la journée. Je crois qu'il a de la peine. Pourtant, nous n'avons rien fait de mal.

1. Simon et Octave n'ont pas la même compréhension de la situation. Décris la compréhension de chacun.
2. Décris un conflit que tu as déjà vécu avec des amis.
3. Y a-t-il de bonnes raisons de se fâcher ?

FAIRE LA PAIX

Pour régler le conflit entre les trois amis, monsieur Paulo les a invités chez lui. Ils se rendent à la boutique à 16 h comme prévu. Simon a bien voulu y aller, mais il ne voit pas du tout comment pourrait se régler leur conflit.

Monsieur Paulo les accueille, les invite à descendre au sous-sol et leur offre un chocolat chaud. Ils acceptent volontiers.

Trois chaises sont disposées autour d'une petite table sur laquelle se trouve une boîte. Monsieur Paulo leur laisse le temps de prendre quelques gorgées en les observant.

— Qu'y a-t-il dans cette boîte ? demande Nadja.

— Elle contient chacun de vos points de vue sur cette querelle et toutes les solutions possibles pour la régler, répond monsieur Paulo.

Il existe différentes manières de présenter tes idées et ton point de vue.

Quand tu échanges avec d'autres personnes dans le but de **partager** des idées et des expériences, tu pratiques la **conversation.**

Quand tu échanges avec d'autres tes idées et tes opinions dans le but d'en faire l'**examen**, tu pratiques la **discussion.**

Quand tu **racontes** une série de faits et d'événements, tu pratiques la **narration.**

1. En équipe, attribuez-vous le rôle d'un des trois personnages et exercez-vous à pratiquer deux des trois formes de dialogue présentées.
2. Présentez deux pistes de solutions possibles à la querelle des trois amis et une conséquence pour chacune d'elles.

Est-il facile de régler des conflits interpersonnels ? Pourquoi ?

EN ÉQUIPE

Que ce soit dans une équipe sportive, dans ta classe ou avec tes amis, tes comportements influencent la vie de groupe, de façon négative ou positive.

Certaines façons d'agir avec les autres rendent le climat tendu et les relations difficiles. Elles peuvent même briser le groupe.

D'autres comportements favorisent le bon fonctionnement du groupe et en rendent le climat agréable. Ils permettent à tous les membres du groupe de se sentir respectés. Ainsi, les liens se solidifient.

1. Choisis deux énoncés ci-dessous. Pour chacun, décris une situation où l'énoncé est souhaitable et une où il ne l'est pas. Explique pourquoi.

   - Penser seulement à soi.
   - Laisser parler les autres.
   - Aider quelqu'un.
   - Se moquer des autres.
   - Laisser certaines personnes de côté parce qu'on les connaît moins.
   - Être toujours le premier à choisir.
   - Avoir un langage respectueux.
   - Suivre les règles.
   - Reconnaître ses erreurs.
   - Mentir.
   - Dire ce que l'on ressent.

2. Choisis un énoncé qui ne te semble jamais souhaitable en groupe et dis pourquoi.

S'ENTENDRE

— Pourquoi étais-tu si fâché contre nous, Simon ? demande Nadja.

— Octave et toi avez joué ensemble après l'école et vous ne m'avez pas invité. Je croyais qu'on était amis. Nous avions dit que nous serions toujours ensemble. Ça m'a fait de la peine. Je croyais que vous ne vouliez plus de moi.

— Tu sais, Simon, Nadja et moi on se connaît depuis toujours. Je l'ai vue passer devant la maison et je lui ai demandé où elle allait comme ça. Elle m'a répondu qu'elle ne faisait rien de spécial. Ensuite, nous avons joué. C'est tout.

— Alors pourquoi ne pas m'avoir invité ? réplique Simon.

— Nous n'avions pas beaucoup de temps, explique Nadja, je devais rentrer à la maison bientôt.

Face à des conflits, on se sent tout chaviré en dedans.

1. Qu'aurait pu faire Simon lorsqu'il s'est rendu compte que ses amis avaient joué sans lui ?
2. Quelles peuvent être les conséquences si on ne règle pas un conflit ?

La bonne distance

Connais-tu les marapics ? Ce sont des porcs-épics. On les appelle ainsi parce qu'ils sont plutôt marabouts.

C'était le début de l'hiver au pays des marapics. Ceux-ci vivaient dans une vaste forêt comptant des milliers de sapins et d'épinettes. Les marapics étaient mal en point, car il commençait à faire froid et ils avaient besoin de chaleur. Ils n'arrivaient pas à en trouver.

Un matin, le chef des marapics proposa à tous ses congénères de se blottir les uns contre les autres afin de profiter de la chaleur de leurs corps. Les petites bêtes exécutèrent les ordres du grand chef, mais cela ne fit qu'empirer les choses. Les épines des marapics étaient si pointues que le fait de se coller les uns aux autres leur causait une grande douleur. Après cette mauvaise expérience, les marapics passèrent quelques jours isolés un peu partout dans la forêt. Ils soignèrent leurs blessures et tentèrent de trouver une solution plus efficace. Le temps passait et ils grelottaient de plus en plus.

L'un des membres de la petite communauté considérait que ça ne pouvait plus durer. Il prit un porte-voix et cria très fort :

« Rapprochons-nous tout doucement les uns des autres sans nous toucher. Ensemble, nous chercherons une solution. »

En se rapprochant, les marapics finirent par se trouver assez près pour discuter tous ensemble.

Après quelques heures de discussion, l'un d'eux s'écria : « HOURRA ! »

Les autres le regardèrent d'un air stupéfait.

Il poursuivit :

— Nous avons la solution ! N'avez-vous pas remarqué que nous n'avons plus froid ?

— C'est vrai ! répondirent-ils en chœur.

— Nous avons trouvé la bonne distance. Nous arrivons à nous réchauffer sans nous blesser.

1. L'histoire des marapics permet de comprendre quelque chose d'important à propos des relations avec les autres dans un groupe. Dans tes mots, explique ce que tu comprends de cette histoire.

Unité 6

AVANT LE MONDE

Imagine… Comment le monde a-t-il commencé ?

BIEN AVANT LES DINOSAURES

Les dinosaures, quel sujet fascinant ! En classe, Octave a appris leurs noms étranges, a observé des fossiles et a même vu un film sur le sujet. Madame Beaulieu, son enseignante, lui a dit que le tyrannosaure ne pouvait pas manger d'humains, car à cette époque les humains n'existaient pas encore. Mille questions se bousculent dans sa tête.

Depuis quand la vie existe-t-elle sur la Terre ?
Et la Terre, comment s'est-elle formée ?
Comment le monde a-t-il commencé ?

Voilà de très grandes questions. Tu as certainement ta petite idée là-dessus.

1. Quand tu entends l'expression « l'origine du monde », quelles images et quels mots te viennent en tête ?

DES RÉCITS SUR L'ORIGINE DU MONDE

Octave regarde un livre qui le surprend beaucoup. La page couverture montre un groupe d'hommes et de femmes assis par terre. Sous l'image, il lit le titre : « Sur les traces des premiers êtres humains ». Les personnages sont petits, voûtés et poilus. Il s'imagine ainsi installé avec sa famille et ses amis, tous couverts de poils… Comme c'est étrange !

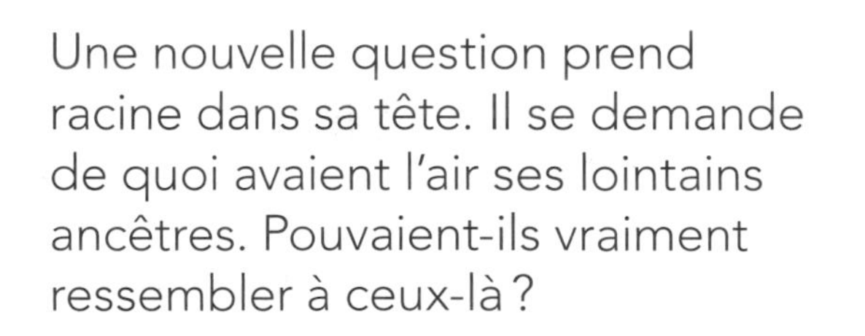

Une nouvelle question prend racine dans sa tête. Il se demande de quoi avaient l'air ses lointains ancêtres. Pouvaient-ils vraiment ressembler à ceux-là ?

Peut-être t'es-tu déjà posé des questions sur les origines du monde. D'autres l'ont fait aussi. Divers écrits existent sur le sujet.

L'origine du monde est un sujet captivant. Les récits qui existent sur ce sujet cherchent à dire, dans un langage imagé, d'où viennent les choses et les êtres de ce monde.

Il existe divers récits qui racontent l'origine du monde. Plusieurs d'entre eux font remonter cette origine à des temps lointains. Les gens qui les ont écrits se sont inspirés de leurs croyances et de leurs traditions.

Il existe différentes croyances sur l'origine du monde. Nomme une attitude possible face à une idée ou à une croyance différente de la tienne.

1. Connais-tu un récit qui raconte l'origine du monde? Lequel?
2. Raconte dans tes mots ce récit.

La légende du Grand Lièvre

Depuis très longtemps, les Autochtones racontent des légendes pour expliquer l'origine du monde. Elles varient d'une communauté à l'autre, mais toutes ont été transmises oralement, de génération en génération. C'est une façon de les garder vivantes. Voici une légende attikamek.

Au début, il n'y avait que de l'eau. Tous les animaux vivaient sur un radeau. Bientôt, ils s'y sentirent à l'étroit. Ils décidèrent d'aller explorer les profondeurs de l'eau afin de trouver un peu de terre.

Le castor plongea le premier. Il revint complètement épuisé sans avoir rien trouvé, pas même un grain de sable. La loutre espérait faire mieux, mais n'y réussit pas. Puis, le rat musqué se proposa. Aucun animal ne le croyait capable de trouver quoi que ce soit. Il plongea tout de même et, à l'étonnement de tous, il refit surface avec un grain de sable, qu'il déposa sur le radeau.

Sans perdre de temps, le Grand Lièvre se mit à tourner autour du grain de sable. Jour après jour, le grain de sable grossissait et il devint finalement assez grand pour que les animaux puissent y habiter.

Toutes les espèces partirent dans diverses directions afin de s'installer sur cette terre. Chacun souhaitait dénicher un endroit où il ferait bon vivre.

Pendant leur long voyage, les animaux traversèrent de rudes épreuves. Certains trouvèrent la mort. De ces corps-là, le Grand Lièvre fit naître les hommes et les femmes.

Un récit, des religions

Les juifs, les musulmans et les chrétiens croient que Dieu a créé le monde et tous les êtres qui l'habitent. Voici le récit de la création selon la Genèse.

Au commencement de tout, dit la Bible, Dieu créa le ciel et la terre. La terre était informe, chaotique et obscure.

Comme il faisait noir partout, Dieu créa la lumière. Il sépara ensuite la lumière et la noirceur et leur donna un nom. Il appela la lumière jour et la noirceur, nuit.

Le deuxième jour, Dieu décida de séparer les eaux du ciel et les eaux de la terre. Pour cela, il créa le firmament et l'installa entre les eaux du ciel et celles de la terre.

Chaque fois que Dieu ajoutait un élément à sa création, il le trouvait bon.

Le troisième jour, Dieu sépara les eaux et la terre pour former les continents et les océans. Puis, il ordonna aux continents de verdir et de produire des arbres et des plantes. Il ordonna aussi à chacune des plantes de produire des fruits et des semailles afin qu'elles se renouvellent toujours.

Le quatrième jour, Dieu créa des astres dans le ciel. Il ordonna au Soleil et à la Lune de briller tour à tour afin de rythmer le temps.

Le cinquième jour, Dieu peupla les océans et le ciel. Il créa toutes les espèces marines et toutes les variétés d'oiseaux. Il leur dit de se reproduire et de peupler l'eau et le ciel.

Le sixième jour, il ordonna à la terre de produire des espèces vivantes de toutes sortes. Des bestioles, des bêtes sauvages et des insectes. Puis, Dieu créa l'homme et la femme à son image. Il leur demanda d'être féconds et de peupler la terre. Il leur donna aussi la mission de s'occuper de tout ce qu'il avait créé.

Le septième jour, il admira sa création et la vit bonne. Il se reposa.

Les six premiers jours

Des artistes ont également illustré les origines du monde.

Une œuvre de Johann Wenzel Peter

1. Décris cette image.
2. Selon toi, à quel récit sur l'origine du monde se rattache-t-elle ?

Le jardin d'Éden

Voici un vitrail qui représente le premier homme et la première femme, Adam et Ève, dans le jardin d'Éden. Le vitrail est une forme d'art qui orne souvent les églises.

Selon la Genèse, Dieu avait installé Adam et Ève au cœur de sa création, dans le jardin d'Éden. L'harmonie y régnait. L'homme et la femme y vivaient paisiblement et ne manquaient de rien. Dieu avait pris soin de créer des végétaux pour bien nourrir Adam et Ève. Il avait aussi créé un arbre spécial dont Adam et Ève ne devaient pas manger les fruits. C'était l'arbre de la connaissance du bien et du mal.

Un jour, un serpent rusé adressa la parole à Ève :

— Dieu veut vous priver, Adam et toi, de manger les fruits de tous les arbres du jardin, insinua-t-il.

— Nous ne pouvons ni manger ni même toucher les fruits de l'arbre de la connaissance du bien et du mal, car cela nous ferait mourir, précisa-t-elle.

— Mais non, rétorqua le serpent. Vous ne mourrez pas. Au contraire, si vous mangez des fruits de cet arbre, vous serez comme des dieux !

Ève et Adam se laissèrent convaincre par le serpent. Ils perdirent confiance en Dieu et en ses conseils. Tous deux désobéirent à Dieu et mangèrent des fruits de l'arbre de la connaissance du bien et du mal.

Constatant qu'Adam et Ève lui avaient désobéi, Dieu les interpella et les chassa du magnifique jardin d'Éden. Il les condamna à un travail difficile pour trouver leur nourriture. Il leur annonça qu'ils n'étaient plus immortels et qu'ils connaîtraient dès lors la douleur et la peine.

Pangu

L'histoire de Pangu est un récit très ancien venu de la Chine. Il exprime une autre compréhension du début du monde et de l'origine de la vie sur Terre.

Au début, deux grandes forces vitales existaient dans l'univers. Il s'agissait de Yin, les ténèbres, et de Yang, la lumière. Un jour, ces deux grandes forces s'unirent et donnèrent naissance au dieu Pangu.

Pendant 18 000 ans, Pangu se développa à l'intérieur d'un gros œuf. Après toutes ces années, il se sentait à l'étroit. Alors, il fracassa sa coquille, qui se brisa en de multiples particules.

Les particules légères et volatiles montèrent très haut et formèrent le ciel. Les particules plus lourdes formèrent la terre.

Comme les particules du ciel et de la terre constituaient deux groupes distincts, Pangu décida de s'installer entre les deux. Chaque jour, la distance entre le ciel et la terre augmentait de trois mètres. Pangu aussi grandissait. Au bout de 18 000 ans, le ciel et la terre se stabilisèrent et Pangu put se reposer. Il s'allongea et mourut.

Chacune des parties de son être donna naissance à un élément. De son souffle, le vent et les nuages furent créés. De sa voix naquit le tonnerre. Ses yeux devinrent la Lune et le Soleil, et les étoiles se formèrent à partir de ses cheveux. Des montagnes émergèrent de son corps, et de son sang coulèrent des fleuves et des rivières. De sa peau et des poils de sa moustache germèrent les arbres et les fleurs. Quant à sa transpiration, elle se transforma en pluie et en rosée.

1. Choisis un de ces récits et tente d'en expliquer le message et d'en trouver les symboles.
2. Trouve des différences et des ressemblances entre les divers récits qui racontent le début du monde.

Big bang

Les scientifiques, pour leur part, cherchent à faire avancer nos connaissances sur l'Univers. C'est pourquoi ils examinent le ciel avec des instruments sophistiqués. Ils arrivent à voir très loin dans le firmament. Grâce à leurs instruments, ils sont capables de remonter dans l'histoire de la planète Terre. Preuves à l'appui, ils arrivent ainsi à expliquer divers phénomènes qui se déroulent dans notre Univers.

Les recherches permettent aussi aux scientifiques de formuler des hypothèses. Une hypothèse, c'est une affirmation faite à partir d'éléments que l'on a observés, que l'on croit possibles et que l'on tente de démontrer.

Voici une hypothèse que la science propose sur l'origine du monde. D'une façon simplifiée, on l'explique comme ceci :

> Au début, l'Univers était compacté à l'intérieur d'un seul noyau infiniment dense et chaud. Il était des milliers de fois plus petit que la tête d'une épingle. La chaleur de ce noyau était si extrême que la science n'arrive pas à la décrire.
>
> Une telle concentration d'énergie a fini par provoquer une puissante réaction à l'intérieur du noyau. Pour des raisons que les scientifiques ignorent encore, une violente explosion s'est produite. Puis, tous les éléments contenus dans ce noyau se sont éloignés les uns des autres. En une seconde, l'Univers est passé d'infiniment petit à infiniment grand. La température s'est mise à décliner.
>
> En s'éloignant et en se refroidissant, les particules ont mis en place les conditions nécessaires pour que surgissent les étoiles et les planètes. Ce n'est que 100 millions d'années après cette explosion, appelée le big bang, que les étoiles se sont formées.

C'est une des hypothèses scientifiques qui explique le début de l'Univers.

1. Trouve une différence entre une affirmation de la science et un récit mythique.

DES IDÉES QUI SE BOUSCULENT

Au retour de l'école, Octave et Nadja discutent de ce qu'ils ont appris en classe. Madame Beaulieu leur a expliqué que, selon les scientifiques, la vie est apparue sur la Terre il y a très longtemps. Des millions d'années plus tard, les humains sont apparus.

Nadja se sent bousculée dans sa tête. Ce qu'elle vient d'apprendre est bien différent de la légende attikamek que son grand-père lui a racontée. Octave, lui, ne sait plus quoi penser : est-ce qu'Adam et Ève furent les premiers êtres vivants ou alors est-ce Pangu ?

Nadja propose à Octave d'aller rendre visite à monsieur Paulo.

Lorsque monsieur Paulo ouvre la porte, les deux camarades déballent leur histoire en même temps.

Octave reprend son souffle et résume : « Nous voulons savoir pourquoi la science et les religions ne disent pas la même chose sur l'origine du monde. Nous croyons que vous connaissez la réponse. »

Monsieur Paulo esquisse un geste et dit : « C'est parce qu'elles ne cherchent pas à répondre aux mêmes questions. La science tente de nous dire comment, dans les faits, le monde a commencé. Les récits sur les origines du monde veulent répondre à d'autres questions, par exemple : Que faut-il faire pour créer un monde de bonheur ? »

1 Nomme une découverte que tu as faite à propos de ces récits sur l'origine du monde.